理財小達人

一起學習個人理財

為什麼我不能把錢花光？

費莉西亞・羅 Felicia Law、

傑拉德・貝利 Gerald Edgar Bailey —— 文

顏銘新 —— 譯

政治大學財政系　吳文傑副教授—— 審定

送給孩子一生受惠的禮物
——良好的金融理財素養

　　每年，美國「維吉尼亞州的經濟教育委員會」（Virginia Council on Economic Education）會定期與銀行業者合作，舉辦一個小學生的「經濟概念塗鴉比賽」，讓參賽的孩子們以色彩、圖案、簡單文字，描繪出一個他們心目中重要的「經濟概念」。

　　舉例來說，就讀國小三年級的小妹妹馬可娜，就在紙上畫了一間販賣著各式各樣美味麵包的麵包店，店外頭站著一位女士與一位小女孩。這位女士手上拿著一袋麵包要送給小女孩，女士說：「謝謝妳剛剛幫我清洗窗戶，這一袋麵包是我們之前同意的工作報酬。」

　　看完這幅畫作的內容，你猜得到這位小三的孩子想傳達的「經濟概念」嗎？是的，沒錯！她是在介紹一個「以物易物」（barter）的經濟概念。這些得獎畫作會搭配經濟概念的介紹彙整起來，最後製作成給美國中小學社會科課程的教師手冊。

　　為什麼他們要辦這樣的「經濟概念塗鴉比賽」呢？理由其實很簡單。因為美國的教育體系早已深刻體認到，必須**及早讓孩子建立基本的經濟概念，學習合宜的金錢價值觀，以及正確的自我管理策略，這些重要的生活基本能力，將會對人的一生造成重大的影響！**

　　當我們做家長的鎮日辛苦工作，疲於奔命的花錢在幫小孩找家教補習、學鋼琴、美術等才藝課，學習運動鍛練體能、購買電腦充實基本技能的同時，卻忘了一件更重要且基本的事，那就是提供孩子在面對現實生活中最基本的生存之道——足夠的經濟知識與良好的理財觀念。正如這套書中所言：「世界上的每個人都需要錢。」但是**金錢不僅僅是一種物質，更是一種**

觀念；讓孩子擁有一個快樂、富足的人生，取決的真正關鍵不在於金錢的多寡，而在於孩子對於金錢的價值觀。

培養孩子的經濟知識與理財觀念，必須從小做起。但是對於較小的孩子來說，經濟的概念是很抽象的，其實不僅對於兒童，即使經濟概念的課程早已納入臺灣的課程綱要，許多青少年或是成人對於經濟概念也常是一知半解，甚至覺得無聊、深奧，因而往往敬而遠之。其實經濟知識就在你我的生活之中，但如何讓孩子儘早開始從生活中進行觀察，建立基本的經濟與理財概念？我想讓孩子閱讀一套生動有趣的書籍，絕對是不可或缺的方式。

「親子天下」出版社有鑑於此，去年便請我閱讀並評估這套童書，我閱讀完後，馬上大力推薦，希望他們能夠儘快出版。我推薦的理由有幾點：

第一，臺灣兒童的經濟教育已落後先進國家一大段距離，必須刻不容緩、迎頭跟上。

第二，這套書共分四冊，包括：個人零用錢的管理、家庭所得的運用、國家預算的分配，以及世界貿易的影響。正好符合我心目中對於**兒童學習經濟概念的四個階段 —— 從個人（學習如何管理自己的零用錢）到家庭（了解爸媽如何管理家庭的錢），從國家（認識國家如何管理錢）到全世界（認識世界的錢如何流動）。**

第三，這套書使用淺顯易懂的文字搭配生活化的觀察活動，無論是小孩或大人，都能從書中學習到該具備的經濟知識與理財觀念。

或許仍然有很多家長希望自己的小孩可以變成「小愛迪生」、「小比爾蓋茲」，但請別忘了，未來臺灣的「小巴菲特」和「少年巴菲特」或許就在你家。花點時間，陪伴小孩一起閱讀這套書，你可以一邊充實自己荒廢已久的經濟知識，一邊帶著孩子用嶄新的視野重新認識這個世界。

我由衷且大力的推薦這套書！

政治大學財政系副教授　吳文傑

目錄

你將在本書中學到個人理財的各種知識！

PART 1
累積我的財富

談到「錢」，你會想到什麼呢？
是口袋裡叮叮噹噹作響的硬幣，
或是皮包裡一張張的鈔票，
可以用來換取我們所需要的東西。
沒錯，這就是錢，不過其實錢的面貌可不只是這樣，
讓我們一起回顧錢的發展，
認識這個生活中不可或缺的交易工具！

錢  是什麼？

很久很久以前，人們最簡單的交易方式是「以物易物」，譬如獵人拿抓來的山豬跟農人交換稻米。但有些用來交換的物品很難保存，或者未必能即時找到願意交換的人，那該怎麼辦？這時就需要「錢」的幫忙囉！

錢的誕生

　　錢的正式名稱叫做「貨幣」，當有了錢可以作為交易工具，獵人只要把山豬換成等值的錢，不僅便於收藏和隨身攜帶，更可以隨時向不同人換取所需物品；甚至可以把這些錢一點一滴累積起來，等存夠錢去買間全家人居住的大屋子。

各式各樣的錢

錢並不是在某一個地方被發明出來的，而是在世界上不同的地方、經過不同的形式所演化而成。如果我們穿越時空到古代各地，會發現人類使用過的「錢」真是五花八門，例如：琥珀、珍珠、貝殼、鼓、鳥蛋、羽毛……形式多到數都數不完。在這些稀奇古怪的「錢」當中，有些甚至在現代人眼中根本是不值幾個錢的。

事實上，只要大家公認具有價值，任何東西都可以被用來當作交易工具。所以哪怕只是區區幾頭羊，只要交易雙方彼此同意，也是有可能成為一種「錢」。

……

我用兩頭羊跟你買這個電視！

金幣與銀幣的出現

　　後來黃金和白銀出現了，取代早期社會使用鳥蛋、羽毛、貝殼等，成為世界各地普遍都能接受的交易媒介。因為黃金和白銀本身就是具有價值的貴重金屬，有了它們作為價值衡量的基礎，大家就能明確知道自己擁有的牛羊或物品，應該值幾個金幣或銀幣了。

為什麼會有鈔票？

　　歐洲最早的鈔票，其實是當時歐洲人把黃金存到金匠的庫房時所拿到的一張收據。這張收據是一種憑證，保證你拿著收據到庫房，就可以換得和收據上寫著的數字一樣多的金幣。由於這種收據價值等同於上面記載的黃金數量，又比笨重的黃金方便攜帶，所以很快就變成流行的貨幣，逐漸演變成我們到現在還在使用的鈔票了。

現代生活中的錢

　　很顯然的，錢的樣式和型態還在不停演變之中，而錢在世界各地的使用方式也不盡相同。從古老的「以物易物」交易、硬幣和紙鈔的出現，演變到現代生活中常見的交易工具，已經不只是硬幣和紙鈔而已，還包括金融卡、信用卡、簽帳卡、Apple Pay等。

某個國家使用的錢幣形式會影響周邊國家，例如這枚古希臘的雅典錢幣，上面可愛的貓頭鷹圖樣因為廣受歡迎，造成其他國家紛紛仿效。

未來還會出現哪一種形式的貨幣？讓我們拭目以待！

貨幣小辭典

什麼是貨幣？

由一個政府發行，在該地區通行的硬幣和鈔票。全世界有上百種不同的貨幣，像是歐元、瑞士法郎、澳幣等等。

什麼是面額？

每一枚硬幣或每一張鈔票，上面都會清楚印著一個數字來代表它的價值，就是所謂的面額。

什麼是幣值？

是指貨幣的購買力，幣值降低代表貨幣的價值降低了，也就是購買力下降。

什麼是法定貨幣？

是指一個國家的政府用法律規定在國內通行的各種貨幣。

------------------------------ 觀察小活動

1. 你知道自己的國家發行了幾種面額的貨幣嗎？

2. 請觀察一下這些貨幣上的設計，你發現了什麼？

3. 請觀察其他國家的貨幣，你認為跟自己國家的貨幣有哪些不同？

什麼是
電子貨幣和虛擬貨幣？

我們的生活中愈來愈常使用悠遊卡、一卡通、信用卡之類的塑膠卡片，甚至讓店員刷你手機上的條碼就能買東西。現在有些國家朝向減少使用紙鈔和硬幣的趨勢，會不會有一天，我們再也用不著鈔票跟硬幣了，未來的貨幣又會是什麼模樣呢？

什麼是電子貨幣？

從琥珀、貝殼、珍珠，到黃金、白銀，以及現在我們生活中會使用的硬幣、紙鈔，或是信用卡、手機等，錢的型態不斷演變。

也許你會好奇：「如果錢看起來一點都不像是錢，甚至我們根本看不到它，那麼錢還能算是錢嗎？」其實，「電子貨幣」代表的仍然是等值的法定貨幣，但不同的是運用電子化的方式，透過電腦系統把錢從一家銀行轉到另一家銀行，從這個人的帳戶移到另一個人的帳戶。換句話說，貨幣並沒有真的消失，只是換了一種形式——電子化了。

當然，拿一張沒有儲值的悠遊卡或隨便一張塑膠卡片，是沒有辦法跟商店買東西的。但是從實體的紙鈔、硬幣到電子貨幣，除了更加便利之外，差別並不是那麼的大。

什麼是「虛擬貨幣」？

　　「虛擬」是在描述一種不是具體存在的狀況，你既看不見也摸不著，完全是模擬出來的。現在有愈來愈多的「虛擬貨幣」被創造出來，這種貨幣並不是由國家發行的法定貨幣，通常也沒有實體化的鈔票或硬幣，是由某些人或群體所創造。

　　虛擬貨幣在運作上也跟傳統貨幣一樣，每一枚虛擬貨幣都是一串特殊編碼，當你使用後會留下紀錄，所以未來就不再能用同一枚虛擬貨幣去購買東西。這就像是真的錢一樣：一旦花用了，就不見了！當世界上有愈來愈多人相信它所代表的價值，就可以用它們來購買真實的貨品或是勞務。

什麼是「比特幣」？

　　目前在虛擬貨幣中最盛行的是「比特幣」。
比特幣是用電腦運算而產生和儲存，用戶可以使用
自己的電腦，運用某些運算來換取比特幣，這樣的過
程被暱稱為「電腦挖礦」。

　　用來存放比特幣的撲滿就是電腦、手機或其他電子載具。比特幣的交換會採取一組保密的特殊編碼，用來預防被複製或被竊取。比特幣並不屬於特定的銀行或機構，透過比特幣所進行的交易或金錢移轉是不受各國政府監管的。

　　這樣的貨幣可靠嗎？與一般國家發行的貨幣相比，虛擬貨幣當然是具有較高風險的，如果有一天大家突然不再相信這種虛擬貨幣的價值，虛擬貨幣就會突然崩跌，甚至變得一文不值。

接下來，讓我們看看……錢可以為你做些什麼？

錢，是一定必要的嗎？

你的口袋裡是否有叮叮噹噹作響的硬幣？
錢包裡是否裝著鈔票？
房間裡是不是有個裝著零錢的撲滿？
或者你已經擁有自己的銀行帳戶了呢？

恭喜你！

　　如果你的情況符合上面提到的任何一項，你就是一個有「錢」的人囉！而且隨著時間慢慢累積，你所擁有的錢很可能會愈來愈多。

川流不息的錢：收入與支出

　　錢就像流水般，在每個人的口袋間川流不息。在你有生之年，錢也勢必會在你的口袋裡流進流出。當你接受獎賞或紅包、領到零用錢、工作賺到薪水時，錢就流進來（收入）；當你付錢買東西時，錢又流出去了（支出）。

一個有趣的問題是，錢的「流進」和「流出」哪一種速度較快？這個問題因人而異，不過可以

肯定的是，當錢流進來的比流出去的多，我們就會變得更富有；如果情況剛好相反，那我們可能就會有麻煩了。

用錢來生錢：投資

賺到錢開心，能花錢當然更開心！當你看著存起來的錢慢慢變多，心裡更是無比滿足。但其實還有更好玩的，那就是你還可以讓錢生出錢來，換句話說，就是所謂的「投資」。投資是種特別的花錢方式，在你花錢的同時還能賺錢，這不是很有趣、很有挑戰性呢？

金錢的確並非萬能，但沒錢卻萬萬不能。我們的生活離不開錢，但這並不是件壞事，千萬別避著它、排斥它，而是要學著掌握它、運用它。當你知道怎麼當金錢的好主人，你可以更有智慧的花錢，並且透過投資讓錢生錢。當你累積了一定的錢，在自己能力所及範圍內，也可以選擇用錢來幫助別人或貢獻社會！

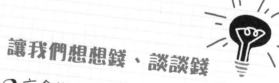

讓我們想想錢、談談錢

○ 衣食住行育樂，沒有錢樣樣不行。

○ 有時我們會有想要的東西，沒錢就什麼都買不了。

○ 適度存錢並妥善投資，能為我們帶來額外收益。

所以囉～
理財永遠不嫌早！

我的錢從哪裡來？

如果你撿到了躺在馬路那頭的一張鈔票，或是在大樹下挖到了海盜埋藏的神祕寶藏，是不是超級開心的？不過……這種好事似乎比較常發生在別人身上或故事裡就是了。好啦，先別灰心嘛！我們從現在開始好好把錢存起來，也能累積起屬於自己的存款。從我們出生到現在，有哪些可能的特別收入呢？讓我們一起來探索！

意外之財：紅包

爸媽或其他長輩可能會在過年過節或你生日時送你紅包，那麼該怎麼規劃你的紅包呢？

當你年紀小的時候，爸媽大多會把你的紅包收走，可能用來添購你需要的用品，也可能是幫你存起來，當成未來的教育基金。等你年紀稍長，有了自己管理金錢的能力，爸媽多半就會開始讓你學著管理這筆額外的財富。

不過，紅包裡的金額多或少，其實不是最重要的，因為紅包裡裝的不只是一些錢而已，裡頭還蘊藏著長輩對你的關懷、祝福，以及滿滿的愛。

繼承財產

還有一種獲得金錢的方式比較悲傷，那就是在家人過世時繼承他的財產。當有人過世時，規定怎樣分配財產的法律文件我們稱為「遺囑」。如果死去的人沒有留下遺囑，只好用法律來決定誰是繼承者。

累積你的資產

當有一筆意外之財降臨，那真是令人開心的事，不過我們還是要謹慎規劃，把錢花在刀口上。現在你口袋裡的現金、撲滿或銀行帳戶裡的錢，以及你擁有其他值錢的東西，這些都稱為「資產」。資產構成你的財務價值，也就是你的「淨值」。隨著年紀愈大，淨值也會變得愈重要，因為它能幫助你取得銀行提供的財務資助，甚至幫你完成大學學業、實現環遊世界等夢想。

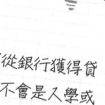

你一定要學習的財務管理能力

未來，當有一天你希望從銀行獲得貸款時，銀行要求出示的不會是入學或畢業成績單，而是你一生的財務狀況證明。

因此從現在開始，好好珍惜每一筆收入，妥善的充實和規劃自己的資產！

如何規劃你的 零用錢？

不論是現在你領到的零用錢，或長大後工作
領到的薪水，這些都是一種「固定收入」。
由於我們知道正常情況下什麼時候可以領到
多少錢，所以當你開始領到零用錢，就可以練習管
理自己的金錢囉！

固定收入

　　所謂的零用錢，是在你和爸媽達成共識後，你通常會在固定時間
得到的一筆固定金額的錢。由於零用錢是一種固定收入，所以在你還
沒有收到錢的時候，就已經可以開始計劃該怎麼妥善的使用它。

　　例如你想買輛腳踏車代步，也許你可以規劃將每個月一部分的零
用錢花在生活所需、一部分存起來，另一部分則當成是要買腳踏車的
基金。這樣的話，就可以大概推斷什麼時候可
以真正擁有屬於自己的腳踏車。

練習記帳

　　你有記帳的習慣嗎？記帳是個好習
慣，記下每筆收入和支出，能夠幫助我們
了解之前錢都花到哪兒去了，也可以知道

現在還有多少錢可以運用。不過如果光是記帳可是不夠的，還要學習聰明的運用它來做規劃。

怎麼進行規劃？透過記帳我們已經知道現在手邊還剩下多少錢了，而且我們還知道在特定的時間點會領到多少零用錢，因此，我們可以「量入為出」，預先算好短期間有多少錢可以使用，就可以幫自己的財產做妥善的分配。

多少才夠？

零用錢的金額得取決於家裡可以給你多少錢，以及爸媽認為以你目前的年紀來說，擁有多少錢比較合適。不管爸媽決定要發給你多少零用錢，請別忘了：這些錢都是爸媽每天費盡心力工作賺來的，千萬不要把這些錢看成理所當然。無論零用錢有多少，我們都應該心懷感激，點滴莫忘。

擁有零用錢之後，你一定要知道的4件事情

1. 存下來的錢才是你的錢。

2. 「需要」跟「想要」是不一樣的。

3. 一定要「量入為出」。

4. 投資時間愈長，複利的力量就愈強大。

（「複利相關概念請見P.31」）

為什麼幫忙做家事能獲得酬勞？

有些爸媽選擇不直接發給你零用錢，而是在你認真負責家務工作之後，才發給相對應的酬勞。畢竟長大後的社會不再有不勞而獲這種事，所以從現在開始，你可以先從參與家務工作，開始體驗完成工作的成就感，以及付出與所得之間的因果關係。

君子愛財，取之有道

在一些家庭中，零用錢的多寡和你的付出有密切的關係。如果你想要賺多一點零用錢，可以先與爸媽表達你的想法和討論可行之道，約定好他們期望你做的家事及所允諾的酬勞，然後把大家討論的結果寫成一份清單，這樣你比較不會忘記自己的任務，爸媽也比較不會忘記該給你多少零用錢。

遵守約定，貫徹始終

當跟爸媽約定好自己必須負責的家務後，記得要提醒自己依照約定的時間，完成該做的事。不該犯的錯是不是又犯了？早上起床有沒有記得整理床鋪？出了房間是不是有隨手關燈？有沒有忘記餵家裡的寵物吃東西？如果違反約定，恐怕就得自食其果，被爸媽碎碎唸或扣除零用錢時，也只能默默接受，然後提醒自己下次要務必記得。

別忘了，家事也是你的責任

家事可大可小。有些小事是原本你就應該做的，像是保持自己房間的整齊清潔，另外有些像是照顧寵物、洗車、倒垃圾等，則視你的能力和家人一同分擔。

家庭成員本來就有責任互相幫忙、分攤工作，減輕爸媽的家務負擔，所以也有些父母主張孩子參與家務是理所當然的，因此不會發給額外酬勞。

養成良好工作習慣，從幫忙做家事開始。

想一想：你可以參與的家務工作有哪些？

☐ 掃地、拖地

☐ 擦玻璃

☐ 整理客廳

☐ 每天餵食寵物、清理寵物糞便

☐ 倒垃圾

☐ 定期幫盆栽澆水

☐ 陪伴長輩

☐ 幫忙買東西

☐ 洗碗或洗車

☐ 其他：＿＿＿＿＿＿＿＿

如何靠自己的力量賺錢？

將來不久你會明白，獲得金錢最好的方法是靠自己的力量去賺取，正如同你現在幫忙爸媽做些事情，來換取一些零用錢或額外報酬。未來你也會跟爸媽一樣加入就業市場，開始用你的專長、時間及努力來換取金錢報酬和自我實現。

第一份工作

許多人在求學階段，就已經開始利用課餘時間打工來賺取自己的生活費。這時的工作通常比較不需要專業能力，相對的薪水也比較少，但是我們能夠從中培養良好的工作態度，以及未來正式踏入職場所需要的各種能力。

承擔適合的工作，不僅能增加零用錢，更能增長見聞。

當你開始打工賺錢，除了努力完成被賦予的工作任務外，也要留意維護自己工作時的安全，以及法律保障你的相關權益。有空可以多和爸媽分享工作的情況，談談工作中的心得及遇到的困難，爸媽通常都能提供很多寶貴的建議。

在工作與學業間取得平衡

當你還處在求學階段，在打工及學業間應該要想辦法兼顧，同時也不應該犧牲運動的習慣和與朋友相處的時光。在每天時間有限的情況下，你可以開始學習管理自己的時間。你不僅要學著當個「理財達人」，也要當個「時間管理達人」。

享受自己努力的成果

當你接受一份工作後，無論是正職或是打工，都要認真的用心投入，千萬不要輕忽自己的責任，同時要讓自己在工作中獲得態度和專業上的成長。俗語說：「一分耕耘、一分收獲」，一旦我們努力付出，就會得到相應的報酬。工作的報酬通常不僅僅是金錢上的收入，同時也帶給我們成就感和自信心，這會是你受用一生的寶藏。

法律對工讀生權益的保障

○ 未滿18歲工作，需要法定代理人同意書。

○ 薪資不可低於法定基本工資。

○ 雇主應幫工讀生加保勞工保險、就業保險及提繳勞工退休金。

○ 加班應給予加班費。

當你有錢時的 **3** 種選擇

在你學習用錢之前，你可能會想：所謂的「錢」不過就是一小枚金屬或小張紙片，甚至只是一張塑膠卡片。這裡提供三種使用金錢的方式供你選擇——花掉它、存起來和送出去，不同的使用方式，將為你帶來不同的結果。

花掉它

對於喜歡花錢的人來說，世界上再也沒有比口袋有錢更棒的事情了。口袋滿滿的時候，花上幾個小時逛街購物，無論是購買一件自己喜愛的新物品，還是不可或缺的生活必需品，買東西的感覺好不過癮！但這樣也可能為我們帶來了一個不良習慣——經常是為了感到快樂而不是基於需要而購物！

有時候，金錢可以為你開啟一扇門，帶來新鮮的體驗或冒險，不過當你必須藉由錢才能獲得快樂——而且通常是一時的快樂，那就得要三思而後行了。

存起來

　　有些人非常擅長於存錢，他們從容不迫的把每一份收入存起來，彷彿天生就是個存錢高手。這很能想像，畢竟每個人長得都不一樣，興趣也不相同，所以在處理錢的方法上，一定也不會相同。

　　其實存錢說來很簡單，主要就是在你賺到錢或收到錢之後先別花掉它，就是這樣而已。如果只是幾枚硬幣，存進撲滿裡就好了，一旦錢多了，可以考慮存到銀行裡，這樣可以定期獲得一小筆額外的收入，也就是所謂的「存款利息」。

送出去

　　社會上有太多人生活在困境當中，當自己的能力足夠時，幫助那些迫切需要錢的人會讓我們感到更開心。每星期放幾枚銅板進捐款箱裡，你就幫助了在某個地方的某個人。你也可以上主辦單位的網站，或是親自參加募款活動，直接了解你捐贈的錢如何用來幫助別人。

為什麼撲滿是小豬造型？

你的撲滿是什麼造型呢？如果你問問你的爸媽，他們小時候通常都擁有一個小豬造型的撲滿。你會不會好奇，為什麼不把撲滿做成犀牛或食蟻獸，而總是做成小豬的樣子，難不成小豬是傳說中「錢的守護神」？嗯，其實事情是這樣的⋯⋯

希臘人的存錢罐

在距離現在好久好久以前的希臘，家家戶戶的廚房裡都會藏著一種用陶土做成的存錢罐。那是一種尖頭造型的陶罐，上半部開了個狹長的小縫，每次人們買東西剩下來的零錢就會投進去，家裡就不會到處都是零錢了。這款古希臘人的貼心生活小物，是用一種名字叫做「pygg」的橘色黏土製成，所以那時大家都叫它「peggy存錢罐」。

中世紀歐洲的豬

後來，歐洲人就這樣一代接著一代的使用「peggy存錢罐」，然後時間就咻⋯⋯一下子來到了中世紀，當時許多貧窮的家庭都會養豬，他們通常沒有剩餘的錢可以存起來，但是對他們來說，家裡養的豬就好像是他們的存錢罐。他們通常會在春天籌些錢買隻小豬，然後

每天把剩菜剩飯餵小豬吃，等到冬天小豬養胖成大豬，就可以賣掉它來換取金錢。

豬豬造型的存錢筒

後來有位製作存錢罐的工匠，每天重複著一樣的製作過程，突然有一天他的腦海中靈光一閃，因為他突然發現「peggy」唸起來跟「piggy」很像，而且功能其實也差不多，於是他就靈機一動的推出小豬造型的陶土存錢筒，果然大受歡迎。直到現在，大家還是很喜歡用肥嘟嘟小豬存錢筒來存零錢呢！

古代希臘人裝錢用的*peggy*存錢罐

陶瓷製成的小豬存錢筒

喚醒 沉睡中的錢

有些人很會存錢，對他們而言，當看著撲滿中的銅板一天比一天多，存錢可能比花錢還能為他們帶來快樂。但所謂的存錢，是不是表示盡可能不要花錢就好了？

沉睡的錢

如果我們把錢投進撲滿裡，一隻滿了再多加一隻，然後把它們一隻隻放在床下藏好，嗯！這樣感覺真令人安心。不過你知道嗎？這樣雖然把錢留住了，但是當日子一天天過去，物品價格慢慢上漲，錢實際的價值卻會逐漸減少喔！

流動的錢

相反的，有另一種更理想的存錢方式。首先，我們得把錢從撲滿中拿出來，然後把它存進銀行或是郵局的儲蓄帳戶。你一定會好奇，那我的錢會被用做什麼用途呢？銀行通常會拿著你的錢去做一些可能獲得利潤的投資，並把利潤中的一小部分分給你作為報酬，這就是所謂的「利息」。

把撲滿中沉睡的錢叫醒，讓它去為你賺點錢，這樣是不是很棒呢？

是 否

□ □ **1.** 花錢時我從不考慮購買的東西
是出於「需要」還是「想要」。

□ □ **2.** 如果無法擁有某種奢侈品，我就會覺得心裡十分難
過。（例如：雖然已經有手機了，但還是想要買最
高檔的那款手機）

□ □ **3.** 感覺錢總是來得慢、去得快，根本存不了什麼錢。

□ □ **4.** 花錢之前我會先想想自己是否真的「需要」或只是
「想要」。

□ □ **5.** 覺得購買「想要」的東西，就是浪費或不好的行
為。

□ □ **6.** 不管東西的品質，一律挑最便宜的買。

□ □ **7.** 要有很多很多錢才能讓我感到安全。

□ □ **8.** 擔心未來會沒錢用，所以盡一切努力把所有的收入
都留在自己的身邊。

□ □ **9.** 花錢時會先想想自己實際上「需要」的到底是什
麼。

□ □ **10.** 有計劃的存錢，偶爾用來買個想要的東西或特殊奢
侈品。

□ □ **11.** 存的錢會慢慢的增加，讓你覺得穩定踏實。

□ □ **12.** 目前存的錢能夠應付緊急需要。

□ □ **13.** 願意學習新的技能（例如：學習寫
程式或親手製作小東西），以及
充實理財知識（例如閱讀本書）。

如果你勾選的「是」集中在1～3，表示你是「存不了錢的人」。
如果你勾選的「是」集中在4～8，表示你是「為了存錢而存錢的人」。
如果你勾選的「是」集中在9～13，表示你是「聰明的儲蓄者」。

把錢存進銀行
有什麼好處？

隨著你存的錢慢慢變多，這時就可以開始和爸媽商量，看看是不是要考慮開立一個帳戶，把錢存進銀行了。不過，你一定會對銀行以及銀行為你開立的帳戶感到好奇，這一篇文章能為你解答心中疑惑。

銀行：你理財的好幫手

把錢存在銀行，等於就是把你的錢借給銀行，而你因此能得到的回報會有：

- 一個可以存放現金的地方。
- 一個會定期支付利息的帳戶。
- 一張金融卡，可以隨時從自動提款機（ATM）提取帳戶裡的現金；部分金融卡還能夠直接在商店刷卡消費。
- 有時還能得到一兩件免費的禮物，因為銀行經常在尋找一些新的年輕客戶。

利息：讓錢愈變愈多

問問你的爸媽，他們小時候能用10元銅板買什麼？他們可能會告訴你，這枚銅板可是能買到一大碗陽春麵呢！為什麼一樣是10元銅板，不過現在和當年相比，能買到的東西卻變少了？其實錢本身並沒有變少，而是商品漲價了，這時錢的價值變低，或者是說「錢變薄了」。

唯一能對抗錢的價值變低的方法，就是把錢變多。把錢存進銀行賺取利息，能夠抵銷或減緩錢變薄的力量，對於現在的你來說，會是一個很好的理財起點喔！

時間：複利的神奇力量

要獲得良好的投資效果，最重要的觀念就是「複利」。知名物理學家愛因斯坦曾說：「複利是世界上最偉大的力量。」而「複利」之所以具有強大的力量，主要是來自於「時間」，時間愈長，複利的力量就愈強大。所以愈早開始運用複利的魔法，就愈有機會讓未來不再為錢煩惱。

時間可以讓小樹成長茁壯，也可以透過複利讓你的錢愈變愈多。

PART 2
追尋我的富足生活

有些父母會發放零用錢給孩子，
因此有愈來愈多的錢
是經由像你一樣年齡的小孩而不斷流通，
所以，我們應該學習如何聰明花錢與存錢，
並且明白什麼才是真正的「富有」。

花出去的錢都到哪兒去了？

1

你把一枚硬幣拿給商店老闆,買走了口香糖。

2

商店老闆從收銀機取出這枚硬幣去買東西。

有個小孩在遊樂場換錢時,遊樂場店員把這枚硬幣找給他。半小時後,這枚硬幣再度出現在商店的收銀臺上……

6

當你開始花錢,錢便進入循環裡

讓我們跟蹤你花出去的一枚硬幣,看看錢是如何旅行的吧!

3

在這一天裡,這枚硬幣就這樣被轉手了四次。

錢和你的一生
息息相關

○ 你不僅僅是一個消費者，也是整個貨幣循環中重要的一部分。

○ 從前的孩子從未像你現在擁有這麼多的錢，你最好別只懂花錢，也該開始學習理財。擁有錢的同時，也意味著你也需要具備責任心。

○ 面對未來有**65%**的工作仍是未知數，一成不變的穩定工作會逐漸減少，相反的創業機會將會增多，現在的你要努力充實自己的能力，讓自己變得更強大。

○ 雖然你的年紀還小，但你也擁有許多寶貴的資源，例如：禮貌、準時、朝氣、負責、誠實，這些都是未來別人投資你們的理由。

從現在開始建立正確的金錢觀，
充實自己的能力與態度，
未來將會有更多、
更好的機會在等著你！

5

又過了兩天，遊樂場店員來銀行兌換一些準備給客人找錢的銅板。

4 一週以後，這枚硬幣被裝進袋子裡存進了銀行。

花錢考驗你的智慧

我們都愛花錢。花錢買得到東西，花錢令人愉快，花錢一點都不難，我們永遠都有想要買的東西。萬一你偶爾沒想到要買什麼，大街上、雜誌和電視，還有提在手裡的購物袋上，總會有人不斷提醒你：快來買！快來買！

聰明的花錢

花錢的確令人開心，不過爸媽賦予你花錢權力的同時，也象徵著你要為自己負起責任了。錢得花得小心謹慎，而且你只能花自己所擁有的錢；如果你揮金如土、不計代價，那麼後果可就麻煩了。

有時爸媽會告誡提醒你要珍惜金錢、別亂把錢花光之類的。其實他們真正想說的，就是希望你知道怎麼聰明的花錢。嘿！千萬別覺得煩，因為這事情攸關你未來人生的幸福啊！

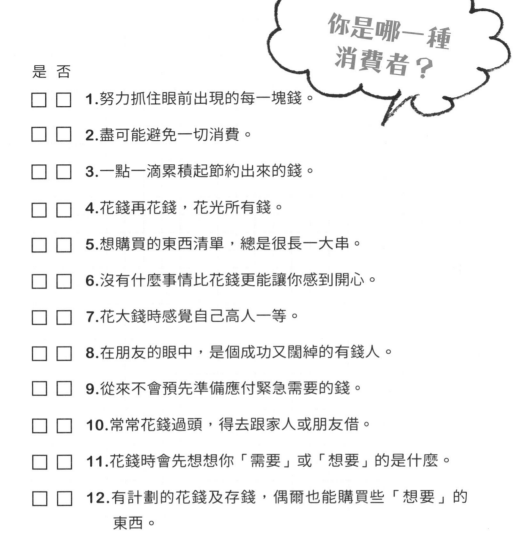

是 否

☐ ☐ **1.**努力抓住眼前出現的每一塊錢。

☐ ☐ **2.**盡可能避免一切消費。

☐ ☐ **3.**一點一滴累積起節約出來的錢。

☐ ☐ **4.**花錢再花錢，花光所有錢。

☐ ☐ **5.**想購買的東西清單，總是很長一大串。

☐ ☐ **6.**沒有什麼事情比花錢更能讓你感到開心。

☐ ☐ **7.**花大錢時感覺自己高人一等。

☐ ☐ **8.**在朋友的眼中，是個成功又闊綽的有錢人。

☐ ☐ **9.**從來不會預先準備應付緊急需要的錢。

☐ ☐ **10.**常常花錢過頭，得去跟家人或朋友借。

☐ ☐ **11.**花錢時會先想想你「需要」或「想要」的是什麼。

☐ ☐ **12.**有計劃的花錢及存錢，偶爾也能購買些「想要」的
　　　東西。

☐ ☐ **13.**存的錢多於花的錢，而且存款會慢慢增加。

如果你勾選的「是」集中在1～3，表示你是「省吃儉用的人」。

如果你勾選的「是」集中在4～10，表示你是「花錢不眨眼的人」。

如果你勾選的「是」集中在11～13，表示你是「聰明花錢的人」。

問問你的家人或朋友，看看他們是哪一種消費者！

走！我們一起去逛街

我們常在各式各樣的商店花錢，現代生活中的商店總是光鮮亮麗，裡面都是讓人愛不釋手的貨物。不過這樣子的商店型態，其實是在這幾十年內才慢慢出現的喔！

商店的發展

在商店出現以前，商人通常會沿街叫賣貨品，這些貨品可能用驢子駝著、用小車推著、用擔子挑著，或者只是用雙手捧著販賣。

後來，大街上開始有了商店，剛開始以販賣生活必需品為主，像是肉舖、菜攤、米店，或是賣照明用蠟燭或燈油的店，到了你的曾祖父母的年代，才開始出現一些販賣衣物用品的店。當時連賣電視、家電的電器行都還沒出現，更別說現在到處都看得到的手機專賣店了。是不是令你很難想像呢？

不過隨著你慢慢長大，你將親眼目睹更多
未來商店的樣貌。就像現在許多商店已經
沒有店面，他們直接在網路上販賣商品，
網路購物也是現代人一個重要的消費管道。

販賣「便利」的便利商店

早期的商店都只販賣特定類型的貨品，所以大家不會去文具店
買菜、去食品行買清潔用品、去清潔用品店買飲料。但現在的情況可
是大不相同，我們在街角的便利商店，可以找到大部分我們需要的東
西，真是太便利了。

便利商店的出現，跟現代忙碌的生活型態有關。商店會篩選出顧
客經常詢問的貨品來儲存和販賣，讓顧客不用花時間到好多間不同商
店，逐一購買所需商品。

不過便利總是有代價的，有時候便利商店裡的商品價格會比較
貴，但對於工作繁忙的人來說，多花些錢來節省購物時間，可能仍然
是划算的。

別忘了，價格其實很重要

除了便利之外，價格當然也很重要，對於口袋裡錢不是很多的人
尤其如此。想要購買一樣東西時，你一定會希望能在定價較低的商店
內購買，那麼省下來的錢就能做其他的安排。所以當你手頭比較緊或
購買的東西單價較高時，請別忘了——貨比三家不吃虧！

如何用更少的錢，
買到相同的東西？

我們都愛討價還價。當你知道你買一樣東西的價錢比別人還便宜，那種感覺還真不賴。如果你願意花時間一家店接著一家店比價，想要買到定價便宜或是特賣中的商品並不難，只需要花上一點時間，還有耐心。

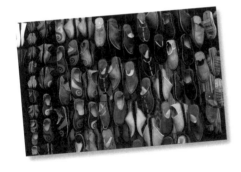

跟攤販買

　　街上的攤販經常和商店賣的東西差不多，而且價格比較便宜。但是要小心，因為假如你隔天想要退貨，那個攤販也許已經不在了。為什麼攤販賣的價錢比較便宜？因為他們不需要付店租，也不需要雇用很多店員來幫忙銷售。

倒店貨是什麼？

　　有些商店會因為破產而舉行倒店大拍賣，這種時候有可能會買到便宜的好東西，不過要記得詢問售後保證，也就是萬一買的東西有問題時，還能不能更換或修理。因為將來也不會有廠商繼續生產同一款商品了，因此如果剛好有零件出售，不妨也一起買下來。

線上購物

　　線上購物應該會比較便宜，畢竟商品售價不需要加上開店費用和建築成本，也沒有銷售人員。但是小心喔！網路上的照片可能比實際的物品好看，顏色對不對勁、材質好不好，得要看到才知道。還好你如果不滿意可以退貨，但是要小心拆包裝。如果想要獲得全部退款，需要包得像收到時一模一樣的退回，並且要妥善保留退貨記錄。

暢貨中心

　　暢貨中心是提供折扣的商店，也是現代社會新穎的商店模式。各種商品設計公司或是生產廠商每年會更新一次或是多次產品設計，因此舊商品位置要空出來給新商品，這些舊商品或是一些季節性商品就會被移到暢貨中心來販賣。如果不要求非當季商品不可，暢貨中心是你能夠擁有這些熱門品牌商品的最佳選擇。

慈善商店

　　慈善商店裡也能買到超值商品。有些慈善商店有齊全的貨源，而且東西都不差。每一間慈善商店都為他們的特殊目的募款，因此當你消費的同時也在做公益。我們每花一筆小錢買他們的東西，都對他們的努力有所貢獻。

為什麼有些商店就是會吸引你？

你最喜歡光顧的商店有哪些？一般人總有些自己喜歡的老地方。有時候我們會不自覺的一次又一次造訪自己喜歡的商店，我們也許是喜歡這些商店的布置，或是他們賣的商品，又或者是店員的親切服務……

想一想你家經常習慣光顧的商店或餐廳，到底是哪些因素吸引著你們一次又一次的光顧呢？

氣氛

不同商店的布置大不相同，有些店裡高高疊滿著箱子和貨物，有些則是像手機店一樣簡單，只有低垂的燈光和發亮的不鏽鋼架。無論商店如何裝潢，都是為了營造出讓你想消費的良好氣氛。

格調

一家販賣標榜「格調」的店家，它的貨架和走道可能比較寬敞，只在眼睛高度可及之處精心擺設少數物品，有些商店還會放置舒服的座椅，

放點好聽的輕音樂，讓你置身在一個舒適、高級的購物或消費環境。

熟悉感

　　每當我們走進常去的商店，通常會直接走到固定的位置，因為你知道想要買的東西就在那兒等著你。不用花腦筋尋找商品在哪兒，或是不會對點餐方式感到害怕，這個很重要，一個聰明的商店老闆會透過觀察，明白客人的習慣，盡量做到賓至如歸，讓客人就像是回到自己家裡那樣舒服自在。

迷宮般的購物中心

　　每次從大型購物中心出來時，總會發現我們原本可能只是想買包衛生紙，但後來卻買了好多超過原本預期之外的商品。購物中心到底是對我們施展了什麼魔法？

事情可不是像施魔法這麼簡單！

　　根據研究發現，大約四分之三的購買行為，是客人在店裡隨意逛逛時即興決定的。所以購物中心會把動線弄得很複雜，讓你找到所需商品之前，要先經過各種各類不同的貨架。於是在尋找商品的過程中，你也發現更多自己可能需要的東西。

　　研究發現貨架上每樣商品被客人視線觸及的時間，大約只有10秒鐘。所以購物中心會把他們希望你買的東西（通常是利潤高的東西），精心安排在你不用抬頭或低頭就能看到、輕鬆拿到的位置。

　　通常來到購物中心的顧客不光是購買購物清單上的東西，逛逛琳瑯滿目的商品，也能為顧客帶來很多樂趣。所以貨品擺放的安排，就好像設計一個和顧客玩躲貓貓的遊戲，希望勾起客人的興趣和好奇心，最終目的，當然就是希望你買回去囉！

有時**不買**也是一種壓力

我們總是會有許多想要擁有的東西，但這些「想要」是怎麼來的呢？隨著我們慢慢長大，各種購物壓力會接連不斷出現，有些來自廣告促銷，有些則來自朋友間的比較。幸好，買或不買的決定權，還是在於你自己。

無所不在的廣告

廠商相信顧客都是喜新厭舊的，所以他們使出各種巧妙策略，讓廣告中的商品看起來更酷、更時尚，例如電視中的廣告、信箱裡的傳單、公車上的廣告、網路上假裝成一般文章的「業配文」，甚至在電視劇、電影、新聞報導中也不時出現「置入性行銷」，來吸引顧客的購買欲望。

有些廣告是傳達性的，把商品介紹給有需要的消費者。但也有些廣告是誘導性的，例如暗示你：「大家都在風靡這款遊戲，如果你不玩就落伍囉！」「這是最流行的風格，如果你不懂穿搭就跟不上潮流！」有些人會因為這樣的壓力而去購買自己並不需要的商品。

我們得認清楚廣告的真相，每天從早到晚，你可能不知不覺接觸了上百則廣告，有時你原本並不覺得自己需要某些商品，但每天看著看著……突然感覺自己真的很想要擁有它。

如影隨形的同儕壓力

想要完全不去理會同儕壓力可真不容易，畢竟我們的人生中有太多的時候都需要融入群體裡。當我們的興趣、穿著、用品與同儕相近，可能有助於獲得團體的認同或接納，於是大家往往會觀察電視上的偶像、翻看流行雜誌的介紹、仿效身邊的同學或朋友，並通過別人的評價來調整自己。

勇敢做自己

融入群體是必要的，但並不代表你得放棄所有決定權，完全依照時下流行的、同儕喜歡的方式來過生活。你就是你，你不是別人的翻版。做對自己最好的事情、選擇適合自己的裝扮、勇敢說出自己的想法，這就是「做自己」。

我們要學著在「迎合別人期待」與「做自己」之間取得平衡，能夠融入團體生活，同時也能保有自己的特色。你可以參考廣告的建議和同儕的喜好，但由自己決定想買的東西、做自己想要的自己，因為這樣才能讓你真正快樂，也才能顯現你的獨一無二。

能夠勇敢做自己，才有可能成為理財達人！

如何為我的零用錢做預算？

幫自己的錢做預算，是管理金錢最簡單的方式。雖然跟「有錢就通通花掉」或「有錢就通通存起來」相比，做預算似乎比較耗費腦力，不過凡事熟能生巧，相信你一定很快也能愈做愈上手。

預算，你一輩子的理財好朋友

為什麼需要「做預算」？那是因為我們意識到自己的錢是有限的，沒辦法一次把所有想要的東西都帶回家，所以我們需要取捨哪些是真的想買、哪些可以延緩購買，然後再來規劃我們的收入和支出。

雖然「做預算」聽起來似乎不太好玩，不過好消息是如果我們先做好預算，買東西時就不用傷腦筋該不該買了，只要照著預算來規劃，時間到了我們就能存到計畫中要存的金額，同時也買到自己想買的東西。

「做預算」就像是去看牙醫，雖然得忍受一些暫時的痛苦，但做了對你大有好處。「做預算」對你一生的財務管理非常重要，值得花些功夫去學習。

養成做預算的習慣，就不會不小心買了許多不需要的東西。

怎麼做預算？

 目標明確 你得先知道自己想要達成的目標有哪些，才能依照對你的必要性和重要性來排列優先順序。

 具體可行 你能達成多少目標，往往跟你的實際收入及每個月能存下來的錢有關。做預算時必須「量入為出」，最終才能達成目標。

漸進達成 達成目標也許需要經過長時間的積蓄，或是等待更好的購買時機。例如你想蒐藏一套漫畫，你不一定非得馬上一套買齊，等待特價時再入手，也是一種很好的選擇。

不做預算會怎麼樣？

要讓自己放棄心中擁有的欲望、延遲購買的時間，對有些人來說不太容易。有些人會覺得：「何必要做預算呢？反正現在有錢就先花，花光了再想怎麼辦。」這是因為就算你現在沒錢了，多半有家人可以幫助你。

但如果你一直抱持著這樣的心態，未來恐怕會嚐到不做預算所造成的苦果。例如有的人長大後有了信用卡，仍會抱持著反正先享受後付款，凡事刷卡買了再說的心態，等真正收到帳單時再來煩惱錢的問題。在現實社會中，如果你欠銀行信用卡費，你除了得還你先前花掉的金額外，還得加上一筆不少的循環利息喔！

學會自律，是邁向財務自由的關鍵

過度消費的時代

你的衣櫥裡總共有幾條牛仔褲？有多少件T恤、襯衫是你從來沒有機會從衣架上拿下來穿的？人們總有各式各樣買東西的理由，但卻很少是因為真的需要才去購買。這是個最好的時代，也是過度消費的時代！

習以為常的太多選擇

想出門吃個早餐，家裡附近有好幾家早餐店敞開大門歡迎你。走進超市，貨架上有各式各樣的糖果供你挑選。要買衣服，店裡或網頁上更有上百種款式讓你逛到眼花撩亂……我們已經習慣有太多的選擇，無論是吃的、穿的、還是玩樂的。

我們是超級幸運的一代

在你祖父小時候的那個年代裡，很多大人每天都在為孩子的三餐煩惱，路上小朋友穿的衣服，甚至是用麵粉袋做的呢！回顧人類過去幾千年來的歷史，人們擁有的生活主要在滿足最基本的衣食溫飽和簡單娛樂。今天我們過著豐足又便利的生活，對從前的人們來說根本是天方夜譚。

我們是過度消費的一代

比起我們祖父那個年代，毫無疑問的我們已經被慣壞了。跟過去的人相比，我們似乎都變成了「購物狂」。我們習慣不斷購買新的東西，即使東西還能用，但往往被我們感覺老舊了就被扔掉；衣服也經常是因為款式不再新穎流行，而被我們留在衣櫥內不再穿上。

過度消費的後果

消費很開心，但也帶來了嚴重的後果。許多已開發國家的人都成了「專家級」的購物者，但當大家都買了又丟、丟了又買，產生的問題不只是資源的浪費，更帶來嚴重的垃圾問題。大量混雜塑膠與其他人造物質的垃圾，汙染了土地與空氣，影響了所有人的生活與健康。

下次當你消費新物品和丟棄舊物品時，先停下來想一想，做個珍惜資源的聰明消費者吧！

49

沒錢時該怎麼辦？

「月有陰晴圓缺，人有旦夕禍福」，人生嘛～
總會有些時候你會不得不需要向人借錢，例如
忘了帶錢在身上，或買東西時才發現錢沒帶
夠。不過還有另外一種狀況，就是已
經把錢花光光但又需要錢的時候，這
時你就得開口向人求助，找到願意借錢給你的人，這將
是考驗你平常信用的時候了。

向父母借

　　長大後如果你跟銀行借錢，還錢時除了借到的錢外，還要多付給
銀行一筆利息。而且也不是想借就借得到，有時還需要房屋或土地來
作為還錢的擔保。

　　比起跟別人借錢，父母是最可能願意借你一筆錢，而且不用跟你
收利息的人。不過你借錢的原因可能要合理些，總不能每次都把錢亂
花光然後跟父母伸手借錢。還有就是要記得有借有還，先跟父母商量
這次要借多少錢，什麼時候還錢。有時可能需要分次還錢，那麼就要
講好多久還一次，一次還多少，並且記得要確實做到。

　　當妳跟父母開口借錢，父母有可能會唸唸你平時的花錢習慣，
這時請記得：他們講的通常是對的，你應該要好好認真聽聽、仔細想
想。畢竟能否養成一個好的理財習慣，是你未來能不能有錢的最主要

關鍵，這次出錯了沒關係，但一定要成為下次的借鏡。當你敢開口借錢，你得證明自己已經夠成熟，成熟到足以為自己的財務負責。

向朋友借

你的朋友或同學，也是比較有可能願意借你錢的人。但請記得，借錢是要付出代價的。想想看，如果把錢借給你的朋友來找你幫忙，但這個忙是你所不願意做或你覺得可能不太好的事情，這時你會不會很難開口說「不」呢？有時跟朋友借錢要還的不只是錢，還有人情。

另外要記得，在開口借錢之前，一定要先想好之後要還的錢從哪裡來。不管朋友有多願意幫助你，當你一再還不出該還的錢時，恐怕友誼難再啊！

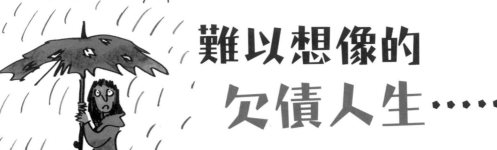

難以想像的欠債人生……

在你還只有零用錢收入時，就來告誡你借錢的風險，這件事聽起來可能有點怪怪的。不過如果你能及早意識到還不出錢時的生活是多麼艱難，那麼你可能會更明白為什麼我們花錢時要三思而後行，以及為什麼要用做預算來適度控制自己的欲望和花費。

什麼是債務

債務就是你向一個人或是一家公司借了錢，未來必須要償還給他們的金錢、利息或其他承諾。有債務不一定是不好的，有債務的人也未必是因為揮霍成性，例如有的人是為了要開店、要買房子或完成大學學業而向銀行貸款，雖然借錢讓他們背負了債務，但這是用於投資自己的未來。

債務對你來說是好事還是壞事呢？判斷的訣竅在於：一段時間之後，你是否有能力償還。如果你每個月的收入扣掉維持生活所需的支出後，不足以償還當期應該還的債務，那麼打從一開始你就不該

去借錢。只要遵守這個簡單原則，你的債務就不會失去控制，但可惜還是有許多人會犯下錯誤。

還不出錢的下場

如果你能定期還錢，債務就不是問題，然而一旦還不出錢，債務將讓你付出龐大的代價。還不出錢的下場真是殘酷且無情：沒辦法買想要的東西、無時無刻的擔心有人找上門來討債、家裡值錢的東西可能都被搬走、連基本的生活都有困難，而且所有多餘的錢都必須支付因負債而來的費用和利息……這將會是一場永無止境的噩夢！

遠離債務失控

只要借錢，就是有風險的。當然最根本的解決方法，還是一定要在借錢之前做好財務規劃，避免發生無力償還的情況，儘量把風險降到最低。

什麼是富有？
什麼是貧窮？

有些人以為擁有金錢就會變得更快樂。的確，不過，如果你擁有足夠的金錢，各項物質生活豐足無虞，就一定可以開心快樂的過日子嗎？這可不一定喔！

一個人就算是成了千萬富翁，也不能保證他就會擁有真正的快樂，而且擁有快樂也不是只有變有錢這一種辦法而已。

快樂是什麼

印度聖哲甘地相信，快樂緣起於簡單過日子。一如其他忠實信仰宗教意義的人，他推翻了財富導致滿足的說法。你相信嗎？連他穿的衣服都是自己縫製的。

認同財富與快樂密不可分的人總會覺得身處在爬坡路上 —— 總為了能更富有而必須奮鬥不懈，又因為始終做不到而更不開心。到頭來，因為永遠達

不到頂峰而灰心喪氣。總歸一句話，快樂之道在於終於做到了自己期盼的事情。

該有的都沒少

　　一個人所能支出購物的金額需視他收入的多少而定。對於收入低的人，花費上萬元的一趟旅行，代價是要緊衣縮食、開銷節省才能達成，但對於富人而言這根本是九牛一毛，對日常生活毫無影響。一般人賺得愈多，開銷也會愈多，通常是花在他們所謂的例行性支出，像是食物、假期和娛樂，他們會逐漸減少購買他們認為是次級品的東西。其中一個例子就是大眾運輸——他們開始自己買車、開車，而不再搭乘相較而言經濟便宜的公共汽車。

分享愈多愈快樂

　　有些有錢人也願意花錢幫助別人，而不是只光想著自己。許多人給慈善機關數以百萬的錢或是支持他們所認同的目標，這些人被稱為慈善家，希望社會中的慈善家能愈來愈多。

把愛傳出去

我們所居住的地球上，有太多需要幫助的人了。看看電視新聞或是閱讀報章雜誌上的報導，你一定能夠了解當我們平安活著的當下，那些生活在貧窮國家和戰禍地區的人們生活得有多麼困苦。如果你願意多關心這個世界上正在發生的事，關心與你每分每秒一起分享地球資源的人們，而不是當一個只會自掃門前雪的人，請現在就加入全球公民的行列，一同思考：改變世界，從我開始做起。

滴水可以穿石

　　每個人都有「需要」和「想要」的東西。「需要」的東西是我們生活上一定要有的，包括食物、飲水、衣物等；「想要」的東西是我們少了會覺得心裡難受的東西，像是冰淇淋、電腦遊戲和設計師款服裝。但是生活裡沒有這些想要的東西，我們應該還是可以生活得很好，那我們何不試著幫助別人呢？當我們看見難民的照片和他們的悲慘經歷，也許沒辦法幫他們完全脫離困境，但每個小小的善意都還是能夠發生它的作用。

無國界的愛

　　我們在新聞報導中，常看到許多國家的人們正面臨天災、飢荒或

難民為了躲避天災人禍而離鄉背井，暫住在簡陋的避難所，等待可以回家的那天。

從海外慈善機構得到食物物資的兒童。

戰爭的威脅，也有許多國家窮得讓我們無法想像。這些事情離你太遙遠了，你可能只是聳聳肩膀說：「這些關我什麼事情，誰管得那麼遠呢？再說他們自己的政府為什麼不幫忙？」

但是當你發現生在富有國家的孩子零食多到吃不完，生在戰亂國家的孩子卻每天餓著肚子時，這世上人們的生活竟有著如此顯著的落差，我們似乎應該嘗試改變些什麼。如果每個人都可以盡點心力，相信最後一定能夠積沙成塔。

為善最樂

哪怕是在最富裕的國家，也會有些需要幫助的人。幫助情況比自己差的人，不是為了讓我們感覺自己比較優越，也不是為了別人的認同和讚美。而是因為我們明白：由於我們的付出，今天在某個地方會少了一個挨餓受凍的人。

你的錢所能帶給你的，不只是外在物質上的富裕及享受，也可以是內在心靈上的滿足與快樂。

期待一個富足的人生

在你的有生之年，也許有機會親眼看到銅板和紙鈔的終結。隨著科技的發展，巨額的金錢每分每秒快速的繞著地球轉動著。未來的十年之中，我們所經歷的金融變化，也許會比過去幾千年還要更多！

看不見的錢繞著地球轉

還記得我們一開始談的「電子貨幣」嗎？在現在這個資訊時代中，我們可以透過網路立即跟世界任何一個角落進行交易，也可以在商店中透過悠遊卡、一卡通或手機來支付購買想要的東西。隨著電子貨幣在我們生活中使用愈來愈頻繁，未來你很可能累積到幾百萬、幾千萬的財富，但卻完全不用持有實體的銅板或鈔票。

錢依然是錢

也許未來錢的樣貌或支付方式還會有很大的改變,但除非你是在金融機構上班,不然這一切改變並不會對你有太大的影響。因為無論鈔票、銅板或電子貨幣,他們所代表的意義和具備的交易功能都是一樣的。

無論錢的形式如何變化,未來的你還是得繼續工作賺錢、還是得按時支付帳單。隨著年紀增長,你的身邊會有愈來愈多的錢來來去去,隨之而來的還有愈來愈多的責任。

因此,如果你願意多了解有關金錢的知識,未來你就愈能夠掌握和管理你的金錢!

擁有富足人生,
從學習理財開始

問題與討論

世界上有沒有搖錢樹？

如果可以的話，大概每個人都會希望自己擁有一棵搖錢樹，這樣就不用工作，每天輕鬆過日子，消費時也不需要購買考慮再三了。

可惜事與願違，金錢不會平白跑進你的口袋裡，而是用等值的貨物或勞務交換而來。因此更顯得金錢是如此的珍貴！你花掉的每一分錢都是賺來的，而且通常是你的爸媽每天孜孜不倦、辛苦工作所換得的薪水。

怎麼樣才能得到多一點零用錢？

許多家庭會在固定時間發給孩子零用錢。不過也有許多的父母認為零用錢得要孩子努力賺取，例如要幫忙做家事或是跑跑腿來才能得到相應的零用錢。想想家裡還有什麼是你可以幫忙的事情？或者問問鄰居或親戚朋友，他們是否願意付點錢讓你幫他們完成一些任務。

為什麼我們需要銀行？

父母需要有個安全的地方來存放他們的薪水和支付帳單，因此對他們來說，銀行帳戶是必不可少的。對你來說，如果將平時存在撲滿裡的錢存進你的銀行帳戶，銀行會用利息來回報你。想想看，你未來打算如何運用銀行帳戶中的存款？

為什麼要做好預算？

　　很快你就會發覺錢永遠不夠買你想要的所有東西。有些東西的價格高的遙不可及。但如果你明白為什麼要存錢，以及存錢會有怎麼樣的回報，隨著儲蓄的增加，你可以比較快一點得償所願。

　　何不寫下你想要購買東西的價錢，計劃自己應該如何在帳戶裡存到足夠的錢。你也可以給自己設定一個期限，努力在這個日期之前達成目標。

購物的欲望是一種罪惡嗎？

　　如果你真的有需要，購物沒什麼不對，但可別為了消遣而去購物。我們支出的預算，通常分成「必需品」和「奢侈品」兩類，若想要理性的購物，最好的方法是記下購物清單並遵守你的預算。記得理財達人追求的不是不花錢，而是知道怎麼聰明的花錢。

本系列與十二年國民基本教育課綱對應表

以下彙整本系列與各學習階段「社會領域」課程相對應的內容，期待孩子、家長及教師能將書中內容與學校課程相互搭配，讓金融與理財的知識融入生活、從小紮根，為孩子奠定未來實現理想人生的基礎。

備註：表格中以色塊標示系列冊別，並於其中標注頁數

理財小達人1　　理財小達人2　　理財小達人3　　理財小達人4

國民小學中年級（第二學習階段）

課綱主題	能力指標編碼與主要內容	本書相應內容
人與環境	Ab-II-2 自然環境與經濟發展的相互影響	過度消費 P48
生產與消費	Ad-II-1 個人參與經濟活動，與他人形成分工合作的關係	工作 P20-24 消費 P34-45
	Ad-II-2 透過儲蓄與消費，來滿足生活需求	儲蓄 P24-31　P12 消費 P34-45　P34-53
價值的選擇	Da-II-1 時間與資源有限，個人須學會做選擇	富有與貧窮 P54-59
	Da-II-2 個人生活方式的選擇	
經濟的選擇	Db-II-1 消費時的評估與選擇	量入為出的預算 P18　P45 需要與想要 P10

國民小學高年級（第三學習階段）

課綱主題	能力指標編碼與主要內容	本書相應內容
人與環境	Ab-III-3 自然環境、自然災害及經濟活動，和生活空間使用的關聯性	天氣影響價格 P37
全球關聯	Af-III-2 國際衝突、對立與結盟	戰爭與災難 P56 貿易障礙 P24 G7、G20 P50 世界銀行、IMF P52
	Af-III-3 參與國際事務，世界公民責任	第三世界債務 P48 人道救援 P58
社會與文化差異	Bc-III-2 資源分配不均與差別待遇	家庭養育成本 P5 富國與窮國 P44-47 外籍勞工 P49
價值的選擇	Da-III-1 做選擇時評估風險及承擔責任	負債 P50-53　P14-15
經濟的選擇	Db-III-1 選擇與理財規劃	收支、儲蓄與投資 P15-31

國民中學（第四學習階段）

課綱主題	能力指標編碼與主要內容	本書相應內容
臺灣的產業發展	地Ae-IV-2 臺灣工業發展的特色	臺灣主要出口產品 P36
	地Ae-IV-3 臺灣的國際貿易與全球關連	
食品安全議題	地Cb-IV-1 農業生產與地理環境	影響農業因素 P34-39
交易與專業化生產	公Bn-IV-4 臺灣若開放外國商品進口，對哪些人有利？對哪些人不利？	貿易開放與管制 P22-24
貨幣的功能	公Bp-IV-1 為什麼會出現貨幣？貨幣有何功能？	貨幣演進與功能 P8 貨幣鑄造與發行 P20
	公Bp-IV-2 儲值卡和貨幣的不同	電子貨幣 P11
	公Bp-IV-3 信用卡和使用貨幣的不同	
	公Bp-IV-4 外幣的買賣	匯率與匯兌 P18、21
全球關聯	公Dd-IV-1 全球化過程	跨國品牌 P38

高級中等學校（第五學習階段）

課綱主題	能力指標編碼與主要內容	本書相應內容
誘因	公Bm-V-2 政策影響誘因改變人民行為	租稅政策 P16
交易與專業化生產	公Bn-V-1 專業化生產的好處	專業分工與貿易P28
	公Bn-V-2 進出口商品的決定因素	工業 P52 各國進出口品項 P28、30、36
國民所得	公Bq-V-2 國內生產毛額（GDP）如何衡量？	GDP P26-31 P44 真正的財富 P60
勞動參與	公Cd-IV-1 勞動參與與經濟永續	勞動與貢獻 P58-59
	公Cd-IV-2 家務勞動與社會參與	家務與打工 P20-23
市場機能與價格管制	公Ce-V-1 市場價格的決定	供需與價格 P40
全球關聯	公Dd-V-3 全球永續發展	公平貿易 P54
貿易自由化	公Df-V-1 貿易自由化	自由貿易 P24
	公Df-V-2 貿易管制的利與弊	開放與管制 P24 關稅與配額 P34

理財小達人 1

為什麼我不能把錢花光？
── 一起學習個人理財

作者｜費莉西亞・羅（Felicia Law）
　　　傑拉德・貝利（Gerald Edgar Bailey）
譯者｜顏銘新
責任編輯｜黃麗瑾
文字協力｜劉政辰、廖啟翔
封面設計｜東喜設計
封面插畫｜放藝術工作室
行銷企劃｜陳詩茵

天下雜誌群創辦人｜殷允芃
董事長兼執行長｜何琦瑜
媒體暨產品事業群
總經理｜游玉雪　副總經理｜林彥傑
總編輯｜林欣靜
行銷總監｜林育菁　版權主任｜何晨瑋、黃微真

出版者｜親子天下股份有限公司
地址｜台北市104建國北路一段96號4樓
電話｜（02）2509-2800　傳真｜（02）2509-2462
網址｜www.parenting.com.tw
讀者服務專線｜（02）2662-0332　週一～週五：09:00~17:30
讀者服務傳真｜（02）2662-6048
客服信箱｜parenting@cw.com.tw
法律顧問｜台英國際商務法律事務所・羅明通律師
製版印刷｜中原造像股份有限公司
總經銷｜大和圖書有限公司　電話｜（02）8990-2588

出版日期｜2017年10月第一版第一次印行
　　　　　2024年 1 月第一版第十九次印行
定　　價｜300 元
書　　號｜BKKKC073P
I S B N｜978-986-95442-0-7（平裝）

國家圖書館出版品預行編目(CIP)資料

為什麼我不能把錢花光？：一起學習個人理財 / 費莉西亞・
羅（Felicia Law），傑拉德・貝利（Gerald Edgar Bailey）著；
顏銘新譯.-- 第一版.-- 臺北市：親子天下, 2017.10
　64 面；　18.5×24.5 公分.--（理財小達人；1）
　譯自：Your money：how you spend your money and why
　ISBN 978-986-95442-0-7(平裝)

1.個人理財 2.金錢 3.通俗作品

563　　　　　　　　　　　　　　　　106016163

照片 本書照片主要出自Shutterstock，其餘照片出處包括：
P.21,Denizo71、P.22,JNP、P.23,（左）JCVStock（右）
Sarah2、P.40,Kateryna Tsygankova、P.49,Hugette Roe、
P.50,（左）3777190317（右）Northfoto、
P.51,Andrey N. Bannov

訂購服務 ─────────────
親子天下Shopping｜shopping.parenting.com.tw
海外・大量訂購｜parenting@cw.com.tw
書香花園｜台北市建國北路二段6巷11號　電話（02）2506-1635
劃撥帳號｜50331356 親子天下股份有限公司